SEIGNEUR,
TU ES PRÉSENT
DANS
TOUTE MA VIE

RECUEIL DE PRIÈRES

SEIGNEUR, TU ES PRÉSENT DANS TOUTE MA VIE

RECUEIL DE PRIÈRES

Parole et Silence

© Socomed Médiation, 1999
Éditions Parole et Silence
64 avenue du Bois-Guimier – 94100 Saint-Maur
ISBN 2-911940-84-9

Tu veux prier Dieu,

« entre dans ta chambre,
ferme sur toi la porte,
et prie ton Père qui est là,
dans le secret. »
(Mt 6, 6)

Fais silence,
signe-toi lentement.

LE SIGNE DE LA CROIX

Au nom du Père,
et du Fils,
et du Saint-Esprit.

Amen

Introduction à la prière

Dis ensuite la prière que Jésus nous
a enseignée, le *Notre Père*.
Puis confie-toi à Marie, Mère de Dieu,
Mère de tous les hommes, en disant un
Je vous salue Marie.
Et rends gloire au Père, au Fils,
au Saint-Esprit.

NOTRE PÈRE
qui es aux cieux,
que ton nom soit sanctifié,
que ton règne vienne,
que ta volonté soit faite
sur la terre comme au ciel.
Donne-nous aujourd'hui
notre pain de ce jour.
Pardonne-nous nos offenses,
comme nous pardonnons aussi
à ceux qui nous ont offensés.
Et ne nous soumets pas à la tentation,
mais délivre-nous du mal.

JE VOUS SALUE, MARIE,
pleine de grâce ;
le Seigneur est avec vous ;
vous êtes bénie
entre toutes les femmes,
et Jésus,
le fruit de vos entrailles,
est béni.
Sainte Marie, Mère de Dieu,
priez pour nous, pauvres pécheurs,
maintenant
et à l'heure de notre mort.

Amen

GLOIRE AU PÈRE
Et au Fils
Et au Saint-Esprit,
Au Dieu qui est,
Qui était,
Et qui vient,
Pour les siècles des siècles.

Amen

Préparation au symbole de foi

En exprimant la foi reçue à ton Baptême, recueille-toi et essaie, à travers le Symbole des Apôtres, *de percevoir de quel amour Dieu nous aime.*

LE SYMBOLE DES APÔTRES

Je crois en Dieu, le Père tout-puissant, créateur du ciel et de la terre.

Et en Jésus-Christ,
son Fils unique, notre Seigneur,
qui a été conçu du Saint-Esprit,
est né de la Vierge Marie,
a souffert sous Ponce Pilate,
a été crucifié, est mort et a été enseveli,
est descendu aux enfers,
le troisième jour est ressuscité des morts,
est monté aux cieux,
est assis à la droite de Dieu le Père tout-puissant,
d'où il viendra juger les vivants et les morts.

Je crois en l'Esprit Saint,
à la sainte Église catholique,
à la communion des saints,
à la rémission des péchés,
à la résurrection de la chair
et à la vie éternelle.

Démarche pénitentielle

Le Baptême t'a fait enfant de Dieu dans l'Église. Il t'a donné la Vie qui ne finit pas.

Cependant, tu es fragile, tu es faible, tu es pécheur. Tu as besoin de dire au Seigneur combien tu regrettes ta faute et ton péché.

Car Dieu est un Dieu d'Amour et de Pardon.

JE CONFESSE À DIEU

tout-puissant,
je reconnais devant mes frères
que j'ai péché
en pensée, en parole, par action
et par omission.
Oui, j'ai vraiment péché.
C'est pourquoi je supplie
la Vierge Marie,
les anges et tous les saints,
et vous aussi, mes frères,
de prier pour moi
le Seigneur notre Dieu.

Amen

*

ACTE DE CONTRITION

Mon Dieu, j'ai un très grand regret
de t'avoir offensé,
parce que tu es infiniment bon
et souverainement aimable,
et que le péché te déplaît.
Je prends la ferme résolution,
avec le secours de ta sainte grâce,
de ne plus t'offenser et de faire pénitence.

*

Pitié pour moi, mon Dieu, dans ton amour,
selon ta grande miséricorde,
efface mon péché.
Lave-moi tout entier de ma faute, purifie-moi
de mon offense.

Oui, je connais mon péché,
ma faute est toujours devant moi.
Contre toi, et toi seul, j'ai péché,
ce qui est mal à tes yeux, je l'ai fait.

Ainsi, tu peux parler et montrer ta justice,
être juge et montrer ta victoire.
Moi, je suis né dans la faute,
j'étais pécheur dès le sein de ma mère.

Mais tu veux au fond de moi la vérité ;
dans le secret, tu m'apprends la sagesse.
Purifie-moi avec l'hysope, et je serai pur ;
lave-moi et je serai blanc, plus que la neige.

Fais que j'entende les chants et la fête :
ils danseront, les os que tu broyais.

Détourne ta face de mes fautes,
enlève tous mes péchés.

Crée en moi un cœur pur, ô mon Dieu,
renouvelle et raffermis
au fond de moi mon esprit.
Ne me chasse pas loin de ta face,
ne me reprends pas ton esprit saint.

Rends-moi la joie d'être sauvé ;
que l'esprit généreux me soutienne.
Aux pécheurs, j'enseignerai tes chemins ;
vers toi, reviendront les égarés.

Libère-moi du sang versé, Dieu,
mon Dieu sauveur,
et ma langue acclamera ta justice.
Seigneur, ouvre mes lèvres,
et ma bouche annoncera ta louange.

Si j'offre un sacrifice, tu n'en veux pas,
tu n'acceptes pas d'holocauste.
Le sacrifice qui plaît à Dieu,
c'est un esprit brisé ;
tu ne repousses, ô mon Dieu,
un cœur brisé et broyé.

Accorde à Sion le bonheur,
relève les murs de Jérusalem.
Alors tu accepteras de justes sacrifices, obla-
tions et holocaustes ;
alors on offrira des taureaux sur ton autel.

Prière à l'Esprit Saint

L'Esprit Saint habite en ton cœur. Il vient à ton secours chaque fois que tu l'invoques.

N'hésite pas à faire appel à lui toutes les fois que tu veux poser un acte dans le Seigneur.

VIENS, ESPRIT CRÉATEUR

Viens, Esprit Créateur,
visite l'âme de tes fidèles,
emplis de la grâce d'En-Haut
les cœurs que tu as créés.

Toi qu'on nomme le Conseiller,
don du Dieu Très-Haut,
source vive, feu, charité,
invisible consécration.

Tu es l'Esprit aux sept dons,
le doigt de la main du Père,
l'Esprit de vérité promis par le Père,
c'est toi qui inspires nos paroles.

Allume en nous ta lumière,
emplis d'amour nos cœurs,
affermis toujours de ta force
la faiblesse de notre corps.

Repousse l'ennemi loin de nous,
donne-nous ta paix sans retard,
pour que, sous ta conduite et ton conseil,
nous évitions tout mal et toute erreur.

Fais-nous connaître le Père,
révèle-nous le Fils,
et toi, leur commun Esprit,
fais-nous toujours croire en toi.

Gloire soit à Dieu le Père,
au Fils ressuscité des morts,
à l'Esprit Saint Consolateur,
maintenant et dans tous les siècles.

La louange du matin

Dès le matin, à ton réveil, que tes premières pensées, tes premières paroles aillent vers Dieu.

Demande-lui d'avoir soif de Lui, glorifie-Le en disant dans ton cœur le Gloire au Père et bénis-Le de ce qu'Il vient chaque jour te renouveler dans son Amour.

PSAUME 62

Dieu, tu es mon Dieu,
je te cherche dès l'aube :
mon âme a soif de toi ;
après toi languit ma chair,
terre aride, altérée, sans eau.

Je t'ai contemplé au sanctuaire,
j'ai vu ta force et ta gloire.
Ton amour vaut mieux que la vie :
tu seras la louange de mes lèvres !

Toute ma vie je vais te bénir,
lever les mains en invoquant ton nom.
Comme par un festin je serai rassasié ;
la joie sur les lèvres, je dirai ta louange.

Dans la nuit, je me souviens de toi
et je reste des heures à te parler.
Oui, tu es venu à mon secours :
je crie de joie à l'ombre de tes ailes.
Mon âme s'attache à toi,
ta main droite me soutient.

GLOIRE À DIEU

Gloire à Dieu, au plus haut des cieux,
Et paix sur la terre aux hommes qu'il aime.

Nous te louons, nous te bénissons,
nous t'adorons,

Nous te glorifions, nous te rendons grâce,
pour ton immense gloire,

Seigneur Dieu, Roi du ciel,
Dieu le Père tout-puissant.

Seigneur, Fils unique, Jésus-Christ,

Seigneur Dieu, Agneau de Dieu,
le Fils du Père ;

Toi qui enlèves le péché du monde,
prends pitié de nous ;

Toi qui enlèves le péché du monde,
reçois notre prière ;

Toi qui es assis à la droite du Père,
prends pitié de nous.

Car toi seul es saint,

Toi seul es Seigneur,

Toi seul es le Très-Haut, Jésus-Christ,
avec le Saint-Esprit

Dans la gloire de Dieu le Père.

Amen

CANTIQUE DE ZACHARIE

Béni soit le Seigneur, le Dieu d'Israël,
qui visite et rachète son peuple.

Il a fait surgir la force qui nous sauve
dans la maison de David, son serviteur,

comme il l'avait dit par la bouche des saints
par ses prophètes, depuis les temps
anciens :

salut qui nous arrache à l'ennemi,
à la main de tous nos oppresseurs,

amour qu'il montre envers nos pères,
mémoire de son alliance sainte,

serment juré à notre père Abraham
de nous rendre sans crainte,

afin que délivrés de la main des ennemis
nous le servions dans la justice et la sainteté,
en sa présence, tout au long de nos jours.

Et toi, petit enfant, tu seras appelé
prophète du Très-Haut :
tu marcheras devant, à la face du Seigneur,
et tu prépareras ses chemins

pour donner à son peuple
de connaître le salut
par la rémission de ses péchés,

grâce à la tendresse,
à l'amour de notre Dieu
quand nous visite l'astre d'en haut,

pour illuminer ceux qui habitent
les ténèbres
et l'ombre de la mort,
pour conduire nos pas
au chemin de la paix.

La louange du soir

Le soir, offre à Dieu toute ta journée, tes joies, tes difficultés, tes peines.

Remets-les lui en étant sûr, comme le chantent Marie et Syméon, que tout est repris dans le salut apporté par Jésus Christ.

Psaume 140

Seigneur, je t'appelle : accours vers moi !
Écoute mon appel quand je crie vers toi !
Que ma prière devant toi s'élève
comme un encens,
et mes mains, comme l'offrande du soir.

Mets une garde à mes lèvres, Seigneur,
veille au seuil de ma bouche.
Ne laisse pas mon cœur pencher vers le mal
ni devenir complice des hommes malfaisants.

Jamais je ne goûterai leurs plaisirs :
que le juste me reprenne
et me corrige avec bonté.
Que leurs parfums, ni leurs poisons, ne tou-
chent ma tête !
Ils font du mal : je me tiens en prière.

Voici leurs juges précipités contre le roc,
eux qui prenaient plaisir à m'entendre dire :
« Comme un sol qu'on retourne et défonce,
nos os sont dispersés à la gueule des enfers !»

Je regarde vers toi, Seigneur, mon Maître ;
tu es mon refuge : épargne ma vie !
Garde-moi du filet qui m'est tendu,
des embûches qu'ont dressées les malfaisants.

CANTIQUE DE MARIE

Mon âme exalte le Seigneur,
exulte mon esprit en Dieu, mon Sauveur !

Il s'est penché sur son humble servante ;
désormais, tous les âges me diront
bienheureuse.

Le Puissant fit pour moi des merveilles :
Saint est son nom !

Son amour s'étend d'âge en âge
sur ceux qui le craignent.

Déployant la force de son bras,
il disperse les superbes.

Il renverse les puissants de leurs trônes,
il élève les humbles.

Il comble de biens les affamés,
renvoie les riches les mains vides.

Il relève Israël, son serviteur,
il se souvient de son amour,

de la promesse faite à nos pères,
en faveur d'Abraham et de sa race,
à jamais.

PSAUME 4

Quand j'appelle, réponds-moi,
Dieu ma justice,
Tu as su desserrer mon angoisse,
prends pitié de moi, écoute ma prière !

Et vous, les fils des hommes,
Jusques à quand ce mépris de ma gloire,
Ce goût du néant, cette course au mensonge ?

Sachez-le, le Seigneur s'est choisi un fidèle ;
Quand je fais appel au Seigneur, il entend.

Tremblez, ne péchez pas,
pendant votre repos, méditez,
Et faites silence.

Sacrifiez ce qu'il est juste d'offrir,
Et faites confiance au Seigneur.

On demande souvent :
« Qui nous fera voir le bonheur ? »
Pour nous, Seigneur, que s'illumine ton
visage !

Tu as mis dans mon cœur plus de joie
Qu'aux jours où débordent leur blé,
leur vin nouveau !

En toute paix, je me couche et m'endors,
Car tu me fais vivre, Seigneur,
dans ta seule confiance.

Cantique de Syméon

Maintenant, ô Maître Souverain,
Tu peux laisser s'en aller ton serviteur,
En paix selon ta parole.

Car mes yeux ont vu ton salut,
Que tu prépares à la face des peuples,

Lumière pour éclairer les païens,
Et gloire d'Israël ton peuple.

La prière au long du jour

Prie le Seigneur en toutes circonstances : présente-lui tes actions de grâces et tes demandes.

Quand ton cœur est en fête, chante au Seigneur :

PSAUME 137

De tout mon cœur, Seigneur,
je te rends grâce :
tu as entendu les paroles de ma bouche.
Je te chante en présence des anges,
vers ton temple sacré, je me prosterne.

Je rends grâce à ton nom
pour ton amour et ta vérité,
car tu élèves, au-dessus de tout,
ton nom et ta parole.
Le jour où tu répondis à mon appel,
tu fis grandir en mon âme la force.

Tous les rois de la terre te rendent grâce
quand ils entendent les paroles de ta bouche.
Ils chantent les chemins du Seigneur :
« Qu'elle est grande, la gloire du Seigneur ! »

Si haut que soit le Seigneur,
il voit le plus humble ;

de loin, il reconnaît l'orgueilleux.
Si je marche au milieu des angoisses,
tu me fais vivre,
Ta main s'abat sur mes ennemis en colère.

Ta droite me rend vainqueur.
Le Seigneur fait tout pour moi !
Seigneur, éternel est ton amour :
N'arrête pas l'œuvre de tes mains.

Tu reconnais que Dieu est Justice, Misé-
ricorde et Bonté, et tu veux que toute la terre
le reconnaisse, alors tu dis :

PSAUME 66

Que Dieu nous prenne en grâce
et nous bénisse,
que son visage s'illumine pour nous ;
et ton chemin sera connu sur la terre,
ton salut, parmi toutes les nations.

Que les peuples, Dieu, te rendent grâce ;
qu'ils te rendent grâce tous ensemble !

Que les nations chantent leur joie,
car tu gouvernes le monde avec justice ;
tu gouvernes les peuples avec droiture,
sur la terre, tu conduis les nations.

Que les peuples, Dieu, te rendent grâce ;
qu'ils te rendent grâce tous ensemble !

La terre a donné son fruit ;
Dieu, notre Dieu, nous bénit.
Que Dieu nous bénisse,
et que la terre tout entière l'adore !

*Tu as besoin de la lumière du Seigneur
pour te donner force et courage. Alors
demande-la lui bien simplement :*

PSAUME 26

Le Seigneur est ma lumière et mon salut ;
de qui aurais-je crainte ?
Le Seigneur est le rempart de ma vie ;
devant qui tremblerais-je ?

Si des méchants s'avancent contre moi
pour me déchirer,
ce sont eux mes ennemis, mes adversaires,
qui perdent pied et succombent.

Qu'une armée se déploie devant moi,
mon cœur est sans crainte ;
que la bataille s'engage contre moi,
je garde confiance.

J'ai demandé une chose au Seigneur,
la seule que je cherche :
habiter la maison du Seigneur tous les jours
de ma vie,

pour admirer le Seigneur dans sa beauté
et m'attacher à son temple.

Oui, il me réserve un lieu sûr
au jour du malheur ;
il me cache au plus secret de sa tente,
il m'élève sur le roc.
Maintenant je relève la tête
devant mes ennemis.

J'irai célébrer dans sa tente
le sacrifice d'ovation ;
je chanterai, je fêterai le Seigneur.

Écoute, Seigneur, je t'appelle !
Pitié, réponds-moi !
Mon cœur m'a redit ta parole :
« Cherchez ma face ».
C'est ta face, Seigneur, que je cherche :
ne me cache pas ta face.

N'écarte pas ton serviteur avec colère :
tu restes mon secours.
Ne me laisse pas, ne m'abandonne pas,
Dieu, mon salut !

Mon père et ma mère m'abandonnent ;
le Seigneur me reçoit.

Enseigne-moi ton chemin, Seigneur,
conduis-moi par des routes sûres,
malgré ceux qui me guettent.

Ne me livre pas à la merci de l'adversaire :
contre moi se sont levés de faux témoins
qui soufflent la violence.

Mais j'en suis sûr, je verrai les bontés du
Seigneur sur la terre des vivants.
« Espère le Seigneur,
sois fort et prends courage ;
espère le Seigneur. »

Beaucoup d'aspirations jaillissent de ton cœur. Mais quel sens véritable donner à ta vie ? Prie ces passages de l'Écriture :

MICHÉE 6, 8

« On t'a fait savoir, homme, ce qui est bien, ce que le Seigneur réclame de toi : rien d'autre que d'accomplir la justice, d'aimer avec tendresse, et de marcher humblement avec ton Dieu. »

ÉPHÉSIENS 1, 17-18

« Daigne le Dieu de notre Seigneur Jésus-Christ, le Père de la gloire, vous donner un esprit de sagesse et de révélation, qui vous le fasse vraiment connaître ! Puisse-t-il illuminer les yeux de votre cœur pour vous faire voir quelle espérance vous ouvre son appel, quels trésors de gloire renferme son héritage parmi les saints, et quelle extraordinaire grandeur sa puissance revêt pour nous les croyants, selon la vigueur de sa force, qu'il a déployée en la personne du Christ. »

1 Corinthiens 13, 4-7

« La charité est longanime ; la charité est
serviable ; elle n'est pas envieuse ; la charité
ne fanfaronne pas, ne se gonfle pas ; elle ne
fait rien d'inconvenant, ne cherche pas son
intérêt, ne s'irrite pas, ne tient pas compte du
mal ; elle ne se réjouit pas de l'injustice, mais
elle met sa joie dans la vérité. Elle excuse
tout, croit tout, espère tout, supporte tout. »

Matthieu 9, 9

« Étant sorti, Jésus vit, en passant, un
homme assis au bureau de la douane, appelé
Matthieu, et il lui dit : "Suis-moi !" Et, se
levant, il le suivit. »

Matthieu 16, 24

« Si quelqu'un veut venir à ma suite, qu'il
se renie lui-même, qu'il se charge de sa croix,
et qu'il me suive. »

« Que dois-je faire pour avoir la vie éternelle ?

Jésus dit : Dans la Loi, qu'y a-t-il d'écrit ? Comment lis-tu ? - Le légiste répondit : Tu aimeras le Seigneur, ton Dieu, de tout ton cœur, de toute ton âme, de toute ta force et de tout ton esprit ; et ton prochain comme toi-même.

Tu as bien répondu, lui dit Jésus ; fais cela et tu vivras. »

Tite 3, 4-7

« Le jour où apparurent la bonté de Dieu notre Sauveur et son amour pour les hommes, il ne s'est pas occupé des œuvres de justice que nous avions pu accomplir, mais, poussé par sa seule miséricorde, il nous a sauvés par le bain de la régénération et de la rénovation en l'Esprit Saint. Et cet Esprit, il l'a répandu sur nous à profusion, par Jésus Christ notre Sauveur, afin que, justifiés par la grâce du Christ, nous obtenions en espérance l'héritage de la vie éternelle. »

Parfois, tu te demandes comment prier, que dire, que faire ?

La prière est écoute de la Parole de Dieu, accueil de l'Esprit Saint qui nous fait reconnaître que Jésus-Christ est Seigneur, et qu'en donnant sa vie pour nous, il nous rend fils et fille de Dieu.

Alors aimant de tout ton cœur, tu comprendras ce qu'est la prière filiale, tu entreras dans la liberté des enfants de Dieu. À travers ce passage d'évangile, de St Paul et du psaume, tu t'ouvriras à la grâce de Dieu, tu invoqueras le Seigneur, et tu le béniras.

Luc 11, 1-5 ; 3, 4-7

« Et il advint, comme Jésus était quelque part à prier, quand il eut cessé, qu'un de ses disciples lui dit : "Seigneur, apprends-nous à prier, comme Jean l'a appris à ses disciples". Il leur dit : "Lorsque vous priez, dites : Père, que ton Nom soit sanctifié ; que ton Règne vienne ; donne-nous chaque jour notre pain quotidien ; et remets-nous nos péchés, car nous-mêmes remettons à quiconque nous doit ; et ne nous soumets pas à la tentation".

« Et moi, je vous dis : demandez et l'on vous donnera ; cherchez et vous trouverez ; frappez et l'on vous ouvrira. Car quiconque demande reçoit ; qui cherche trouve ; et à qui frappe on ouvrira. Quel est d'entre vous le père auquel son fils demandera un poisson, et qui, à la place du poisson, lui remettra un serpent ? Ou encore s'il demande un œuf, lui remettra-t-il un scorpion ? Si donc vous, qui êtes mauvais, vous savez donner de bonnes choses à vos enfants, combien plus le Père du ciel donnera-t-il l'Esprit Saint à ceux qui l'en prient ! »

« Quand vint la plénitude du temps, Dieu envoya son Fils, né d'une femme, né sujet de la Loi, afin de racheter les sujets de la Loi, afin de nous conférer l'adoption filiale. Et la preuve que vous êtes des fils, c'est que Dieu a envoyé dans nos cœurs l'Esprit de son Fils qui crie : Abba, Père ! Aussi n'es-tu plus esclave, mais fils ; fils, et donc héritier de par Dieu. »

PSAUME 33

Je bénirai le Seigneur en tout temps,
sa louange sans cesse à mes lèvres.
Je me glorifierai dans le Seigneur :
que les pauvres m'entendent et soient en fête !

Magnifiez avec moi le Seigneur,
exaltons tous ensemble son nom.
Je cherche le Seigneur, il me répond :
de toutes mes frayeurs, il me délivre.

Qui regarde vers lui resplendira,
sans ombre ni trouble au visage.
Un pauvre crie ; le Seigneur entend :
il le sauve de toutes ses angoisses.

L'ange du Seigneur campe à l'entour
pour libérer ceux qui le craignent.
Goûtez et voyez : le Seigneur est bon !
Heureux qui trouve en lui son refuge !

Saints du Seigneur, adorez-le :
rien ne manque à ceux qui le craignent.
Des riches ont tout perdu, ils ont faim ;
qui cherche le Seigneur
ne manquera d'aucun bien.

Venez, mes fils, écoutez-moi,
que je vous enseigne la crainte du Seigneur.
Qui donc aime la vie
et désire les jours où il verra le bonheur ?

Garde ta langue du mal
et tes lèvres des paroles perfides.
Évite le mal, fais ce qui est bien,
poursuis la paix, recherche-la.

Le Seigneur regarde les justes, il écoute,
attentif à leurs cris.
Le Seigneur affronte les méchants
pour effacer de la terre leur mémoire.

Le Seigneur entend ceux qui l'appellent :
de toutes leurs angoisses, il les délivre.
Il est proche du cœur brisé,
il sauve l'esprit abattu.

Malheur sur malheur pour le juste,
mais le Seigneur chaque fois le délivre.
Il veille sur chacun de ses os :
pas un ne sera brisé.

Le mal tuera les méchants ;
ils seront châtiés d'avoir haï le juste :
pas de châtiment pour qui trouve en lui
son refuge.

Comment vivre en vérité au milieu des séductions du monde ? Ton seul appui solide, c'est le Seigneur. Demande-lui de te garder fidèlement dans ses chemins.

PSAUME 124

Qui s'appuie sur le Seigneur
ressemble au mont Sion :
il est inébranlable, il demeure à jamais.

Jérusalem, des montagnes l'entourent ;
ainsi le Seigneur :
il entoure son peuple maintenant et toujours.

Jamais le sceptre de l'impie
ne pèsera sur la part des justes,
de peur que la main des justes
ne se tende vers l'idole.

Sois bon pour qui est bon, Seigneur,
pour l'homme au cœur droit.
Mais ceux qui rusent et qui trahissent,
que le Seigneur les rejette avec les méchants !
Paix sur Israël !

« N'aimez ni le monde ni ce qui est dans le monde. Si quelqu'un aime le monde, l'amour du Père n'est pas en lui. Car tout ce qui est dans le monde – la convoitise de la chair, la convoitise des yeux et l'orgueil de la richesse - vient non pas du Père mais du monde. Or le monde passe avec ses convoitises ; mais celui qui fait la volonté de Dieu demeure éternellement. »

Le secret du bonheur, c'est de vivre dans le dessein bienveillant de Dieu. Mais comment garder sagesse et droiture ?

Psaume 118, 105-112

Ta parole est la lumière de mes pas,
la lampe de ma route.
Je l'ai juré, je tiendrai mon serment,
j'observerai tes justes décisions.
J'ai vraiment trop souffert, Seigneur ;
fais-moi vivre selon ta parole.
Accepte en offrande ma prière, Seigneur :
apprends-moi tes décisions.
À tout instant j'expose ma vie :
je n'oublie rien de ta loi.
Des impies me tendent un piège :
je ne dévie pas de tes préceptes.
Tes exigences resteront mon héritage,
la joie de mon cœur.
Mon cœur incline à pratiquer tes commandements : c'est à jamais ma récompense.

« Béni soit le Dieu et Père de notre Seigneur Jésus-Christ, qui nous a bénis par toutes sortes de bénédictions spirituelles, aux cieux, dans le Christ. C'est ainsi qu'Il nous a élus en lui, dès avant la fondation du monde, pour être saints et immaculés en sa présence, dans l'amour, déterminant d'avance que nous serions pour Lui des fils adoptifs par Jésus-Christ. Tel fut le bon plaisir de sa volonté, à la louange de gloire de sa grâce, dont Il nous a gratifiés dans le Bien-Aimé. En Lui nous trouvons la rédemption, par son sang, la rémission des fautes, selon la richesse de sa grâce, qu'Il nous a prodiguée, en toute sagesse et intelligence : il nous a fait connaître le mystère de sa volonté, ce dessein bienveillant qu'Il avait formé en lui par avance, pour le réaliser quand les temps seraient accomplis : ramener toutes choses sous un seul Chef, le Christ, les êtres célestes comme les terrestres. C'est en lui encore que nous avons été mis à part, désignés d'avance, selon le plan préétabli de Celui qui mène toutes choses au gré de sa volonté, pour être, à la louange de sa gloire, ceux qui ont par avance espéré dans le Christ. C'est en lui que vous aussi, après avoir entendu la Parole de vérité, l'Évangile de votre salut, et y avoir cru, vous avez été marqués d'un sceau par l'Esprit de la Promesse, cet Esprit Saint qui constitue les arrhes de notre héritage, et prépare la rédemption du Peuple que Dieu s'est acquis, pour la louange de sa gloire. »

Luc 10, 21-22

« À cette heure même, Jésus tressaillit de joie sous l'action de l'Esprit-Saint et il dit : "Je te bénis, Père, Seigneur du ciel et de la terre, d'avoir caché cela aux sages et aux intelligents et de l'avoir révélé aux tout-petits. Oui, Père, car tel a été ton bon plaisir. Tout m'a été remis par mon Père, et nul ne sait qui est le Fils si ce n'est le Père, ni qui est le Père si ce n'est le Fils, et celui à qui le Fils veut bien le révéler". »

« Le Christ tel que vous l'avez reçu, Jésus le Seigneur, c'est en lui qu'il vous faut marcher, enracinés et édifiés en lui, appuyés sur la foi telle qu'on vous l'a enseignée, et débordant d'action de grâces. »

Tu t'émerveilles devant la création, tu veux louer le Dieu Créateur :

PSAUME 103

Bénis le Seigneur, ô mon âme ;
Seigneur mon Dieu, tu es si grand !
Revêtu de magnificence,
tu as pour manteau la lumière !

Comme une tenture, tu déploies les cieux,
tu élèves dans leurs eaux tes demeures ;
des nuées, tu te fais un char,
tu t'avances sur les ailes du vent ;
tu prends les vents pour messagers,
pour serviteurs, les flammes des éclairs.

Tu as donné son assise à la terre :
qu'elle reste inébranlable au cours des temps.
Tu l'as vêtue de l'abîme des mers :
les eaux couvraient même les montagnes ;
à ta menace, elles prennent la fuite,
effrayées par le tonnerre de ta voix.

Elles passent les montagnes,
se ruent dans les vallées

vers le lieu que tu leur as préparé.
Tu leur imposes la limite à ne pas franchir :
qu'elles ne reviennent jamais couvrir la terre.

Dans les ravins tu fais jaillir des sources
et l'eau chemine au creux des montagnes ;
elle abreuve les bêtes des champs :
l'âne sauvage y calme sa soif ;
les oiseaux séjournent près d'elle :
dans le feuillage on entend leurs cris

De tes demeures tu abreuves les montagnes,
et la terre se rassasie du fruit de tes œuvres ;
tu fais pousser les prairies pour les troupeaux,
et les champs pour l'homme qui travaille.

De la terre il tire son pain :
le vin qui réjouit le cœur de l'homme,
l'huile qui adoucit son visage,
et le pain qui fortifie le cœur de l'homme.

Les arbres du Seigneur se rassasient,
les cèdres qu'il a plantés au Liban ;
c'est là que vient nicher le passereau,
et la cigogne a sa maison dans les cyprès ;

aux chamois, les hautes montagnes,
aux marmottes, l'abri des rochers.

Tu fis la lune qui marque les temps
et le soleil qui connaît l'heure de son coucher.
Tu fais descendre les ténèbres, la nuit vient :
les animaux dans la forêt s'éveillent ;
le lionceau rugit vers sa proie,
il réclame à Dieu sa nourriture.

Quand paraît le soleil, ils se retirent :
chacun gagne son repaire.
L'homme sort pour son ouvrage,
pour son travail, jusqu'au soir.

Quelle profusion dans tes œuvres, Seigneur !
Tout cela, ta sagesse l'a fait ;
la terre s'emplit de tes biens.

Voici l'immensité de la mer,
son grouillement innombrable d'animaux
grands et petits,
ses bateaux qui voyagent,
et Léviathan que tu fis
pour qu'il serve à tes jeux.

Tous, ils comptent sur toi
pour recevoir leur nourriture au temps voulu.
Tu donnes : eux, ils ramassent ;
tu ouvres la main : ils sont comblés.

Tu caches ton visage : ils s'épouvantent ;
tu reprends leur souffle, ils expirent et
retournent à leur poussière.
Tu envoies ton souffle : ils sont créés ;
tu renouvelles la face de la terre.

Gloire au Seigneur à tout jamais !
Que Dieu se réjouisse en ses œuvres !
Il regarde la terre : elle tremble ;
il touche les montagnes : elles brûlent.

Je veux chanter au Seigneur tant que je vis ;
je veux jouer pour mon Dieu tant que je dure.
Que mon poème lui soit agréable ;
moi, je me réjouis dans le Seigneur.
Que les pécheurs disparaissent de la terre !
Que les impies n'existent plus !

Bénis le Seigneur, ô mon âme !

Tu n'es jamais seul, car Dieu est Père, et il te donne tout ce dont tu as besoin pour vivre en enfant de Dieu.

PSAUME 102

Bénis le Seigneur, ô mon âme,
bénis son nom très saint, tout mon être !
Bénis le Seigneur, ô mon âme,
n'oublie aucun de ses bienfaits !

Car il pardonne toutes tes offenses
et te guérit de toute maladie ;
il réclame ta vie à la tombe
et te couronne d'amour et de tendresse ;
il comble de biens tes vieux jours :
tu renouvelles, comme l'aigle, ta jeunesse.

Le Seigneur fait œuvre de justice,
il défend le droit des opprimés.
Il révèle ses desseins à Moïse,
aux enfants d'Israël ses hauts faits.

Le Seigneur est tendresse et pitié,
lent à la colère et plein d'amour ;

il n'est pas pour toujours en procès,
ne maintient pas sans fin ses reproches ;
il n'agit pas envers nous selon nos fautes,
ne nous rend pas selon nos offenses.

Comme le ciel domine la terre,
fort est son amour pour qui le craint ;
aussi loin qu'est l'orient de l'occident,
il met loin de nous nos péchés ;
comme la tendresse du père pour ses fils,
la tendresse du Seigneur pour qui le craint !

Il sait de quoi nous sommes pétris,
il se souvient que nous sommes poussière.
L'homme ! ses jours sont comme l'herbe ;
comme la fleur des champs, il fleurit :
dès que souffle le vent, il n'est plus,
même la place où il était l'ignore.

Mais l'amour du Seigneur, sur ceux qui le
craignent, est de toujours à toujours,
et sa justice pour les enfants de leurs enfants,
pour ceux qui gardent son alliance
et se souviennent d'accomplir ses volontés.
Le Seigneur a son trône dans les cieux :
sa royauté s'étend sur l'univers.

Messagers du Seigneur, bénissez-le,
invincibles porteurs de ses ordres,
attentifs au son de sa parole !

Bénissez-le, armées du Seigneur,
serviteurs qui exécutez ses désirs !
Toutes les œuvres du Seigneur, bénissez-le,
sur toute l'étendue de son empire !

Bénis le Seigneur, ô mon âme !

Luc 12, 30-32

« Votre Père sait ce dont vous avez besoin.
Aussi bien, cherchez son Royaume, et cela
vous sera donné par surcroît. Sois sans
crainte, petit troupeau, car votre Père s'est
complu à vous donner le Royaume. »

Notre Dieu est un Dieu qui sauve en dépit de tout ce que tu vois. Ce doit être ta certitude, et la source de ton courage.

PSAUME 56

Pitié, mon Dieu, pitié pour moi !
En toi je cherche refuge,
un refuge à l'ombre de tes ailes,
aussi longtemps que dure le malheur.

Je crie vers Dieu, le très Haut,
vers Dieu qui fera tout pour moi.
Du ciel, qu'il m'envoie le salut :
(mon adversaire a blasphémé !)
Que Dieu envoie son amour et sa vérité !

Je suis au milieu de lions
et gisant parmi des bêtes féroces ;
ils ont pour langue une arme tranchante,
pour dents, des lances et des flèches.

Dieu, lève-toi sur les cieux :
que ta gloire domine la terre !

Ils ont tendu un filet sous mes pas :
j'allais succomber.
Ils ont creusé un trou devant moi,
ils y sont tombés.

Mon cœur est prêt, mon Dieu,
mon cœur est prêt !
Je veux chanter, jouer des hymnes !

Éveille-toi, ma gloire !
Éveillez-vous, harpe, cithare,
que j'éveille l'aurore !

Je te rendrai grâce parmi les peuples,
Seigneur,
et jouerai mes hymnes en tous pays.
Ton amour est plus grand que les cieux,
ta vérité, plus haute que les nues.

Dieu, lève-toi sur les cieux :
que ta gloire domine la terre !

Ton frère, ton ami, un de tes proches souffre dans son âme ou dans son corps, une difficulté l'écrase, tu pries le Christ pour lui :

« Quelqu'un parmi vous souffre-t-il ? Qu'il prie. Quelqu'un est-il joyeux ? Qu'il entonne un cantique. Quelqu'un parmi vous est-il malade ? Qu'il appelle les presbytres de l'Église et qu'ils prient sur lui après l'avoir oint d'huile au nom du Seigneur. La prière de la foi sauvera le patient et le Seigneur le relèvera. S'il a commis des péchés, ils lui seront remis. Confessez donc vos péchés les uns aux autres et priez les uns pour les autres, afin que vous soyez guéris. La supplication fervente du juste a beaucoup de puissance. Élie était un homme semblable à nous : il pria instamment qu'il n'y eût pas de pluie, et il n'y eut pas de pluie sur la terre pendant trois ans et six mois. Puis il pria de nouveau : le ciel donna de la pluie et la terre produisit son fruit. »

« Comme il était entré dans Capharnaüm, un centurion s'approcha de lui en le suppliant : « Seigneur, dit-il, mon enfant gît dans ma maison, atteint de paralysie et souffrant atrocement ». Il lui dit : « Je vais aller le guérir ». « Seigneur, reprit le centurion, je ne mérite pas que tu entres sous mon toit ; mais dis seulement un mot et mon enfant sera guéri. Car moi, qui ne suis qu'un subalterne, j'ai sous moi des soldats, et je dis à l'un : Va ! et il va, et à un autre : Viens ! et il vient, et à mon serviteur : Fais ceci ! et il le fait ». Entendant cela, Jésus fut dans l'admiration et dit à ceux qui le suivaient : « En vérité, je vous le dis, chez personne, je n'ai trouvé une telle foi en Israël. (..) Puis il dit au centurion : « Va ! Qu'il t'advienne selon ta foi ! » Et l'enfant fut guéri sur l'heure. »

MATTHIEU 8, 14-15

« Étant venu dans la maison de Pierre, Jésus vit sa belle-mère alitée, avec la fièvre. Il lui toucha la main, la fièvre la quitta, elle se leva et elle le servait. »

Tu as été blessé. Du mal t'a été fait. Tu souffres d'une injustice. Comme Jésus le fait et comme il nous le demande, il faut pardonner. Laisse-toi habiter par le pardon du Seigneur, en contemplant Jésus :

Psaume 30

En toi, Seigneur, j'ai mon refuge ;
garde-moi d'être humilié pour toujours.

Dans ta justice, libère-moi ;
écoute, et viens me délivrer.
Sois le rocher qui m'abrite,
la maison fortifiée qui me sauve.

Ma forteresse et mon roc, c'est toi :
pour l'honneur de ton nom,
tu me guides et me conduis.
Tu m'arraches au filet qu'ils m'ont tendu ;
oui, c'est toi mon abri.

En tes mains je remets mon esprit ;
tu me rachètes, Seigneur, Dieu de vérité.
Je hais les adorateurs de faux dieux,
et moi, je suis sûr du Seigneur.

Ton amour me fait danser de joie :
tu vois ma misère et tu sais ma détresse.
Tu ne m'as pas livré aux mains de l'ennemi ;
devant moi, tu as ouvert un passage.

Prends pitié de moi, Seigneur,
je suis en détresse.
La douleur me ronge les yeux,
la gorge et les entrailles.

Ma vie s'achève dans les larmes,
et mes années, dans les souffrances.
Le péché m'a fait perdre mes forces,
il me ronge les os.

Je suis la risée de mes adversaires
et même de mes voisins,
je fais peur à mes amis
(s'ils me voient dans la rue, ils me fuient).
On m'ignore comme un mort oublié,
comme une chose qu'on jette.

J'entends les calomnies de la foule :
de tous côtés c'est l'épouvante.
Ils ont tenu conseil contre moi,
ils s'accordent pour m'ôter la vie.

Moi, je suis sûr de toi, Seigneur, je dis :
« Tu es mon Dieu ! »
Mes jours sont dans ta main : délivre-moi
des mains hostiles qui s'acharnent

Sur ton serviteur, que s'illumine ta face ;
sauve-moi par ton amour.
Seigneur, garde-moi d'être humilié,
moi qui t'appelle.

Qu'ils sont grands, tes bienfaits !
Tu les réserves à ceux qui te craignent.
Tu combles, à la face du monde,
ceux qui ont en toi leur refuge.

Tu les caches au plus secret de ta face,
loin des intrigues des hommes.
Tu leur réserves un lieu sûr,
loin des langues méchantes.

Béni soit le Seigneur :
son amour a fait pour moi des merveilles
dans la ville retranchée !

Et moi, dans mon trouble, je disais :
« Je ne suis plus devant tes yeux ».
Pourtant, tu écoutais ma prière
quand je criais vers toi.

Aimez le Seigneur, vous, ses fidèles :
le Seigneur veille sur les siens ;
mais il rétribue avec rigueur
qui se montre arrogant.

Soyez forts, prenez courage,
vous tous qui espérez le Seigneur !

*

1 PIERRE 2, 19-25

« C'est une grâce que de supporter, par
égard pour Dieu, des peines que l'on souffre
injustement. Quelle gloire en effet, à supporter les coups si vous avez commis une faute ?
Mais si, faisant le bien, vous supportez la
souffrance, c'est une grâce auprès de Dieu.
Or, c'est à cela que vous avez été appelés, car
le Christ aussi a souffert pour vous, vous lais-

sant un modèle afin que vous suiviez ses traces, lui qui n'a pas commis de faute – et il ne s'est pas trouvé de fourberie dans sa bouche ; lui qui, insulté, ne rendait pas l'insulte, souffrant ne menaçait pas, mais s'en remettait à Celui qui juge avec justice ; lui qui, sur le bois, a porté lui-même nos fautes dans son corps, afin que, morts à nos fautes, nous vivions pour la justice ; lui dont la meurtrissure vous a guéris. Car vous étiez égarés comme des brebis, mais à présent vous êtes retournés vers le pasteur et le gardien de vos âmes. »

MATTHIEU 18, 21-22

« Alors Pierre s'avançant lui dit : "Seigneur, combien de fois mon frère pourra-t-il pécher contre moi et devrai-je lui pardonner ? Irai-je jusqu'à sept fois ?" Jésus lui dit : "Je ne te dis pas jusqu'à sept fois, mais jusqu'à soixante dix-sept fois". »

« Que votre charité soit sans feinte, détestant le mal, solidement attachés au bien ; que l'amour fraternel vous lie d'affection entre vous, chacun regardant les autres comme plus méritants, d'un zèle sans nonchalance, dans la ferveur de l'esprit, au service du Seigneur, avec la joie de l'espérance, constants dans la tribulation, assidus à la prière, prenant part aux besoins des saints, avides de donner l'hospitalité. »

Le mal te scandalise, et face à lui, tu te sens faible. Tourne-toi vers le Seigneur qui te gardera du mal.

PSAUME 120

Je lève les yeux vers les montagnes :
d'où le secours me viendra-t-il ?
Le secours me viendra du Seigneur
qui a fait le ciel et la terre.

Qu'il empêche ton pied de glisser,
qu'il ne dorme pas ton gardien.
Non, il ne dort pas, ne sommeille pas,
le gardien d'Israël.

Le Seigneur, ton gardien, le Seigneur, ton
ombrage se tient près de toi.
Le soleil, pendant le jour, ne pourra te frapper,
ni la lune, durant la nuit.

Le Seigneur te gardera de tout mal,
il gardera ta vie.
Le Seigneur te gardera, au départ et au retour,
maintenant, à jamais.

Tu es triste. Tu es seul. Mais le Seigneur te connaît. Il est là, toujours avec toi comme il l'a promis. Et son amour te conduit.

PSAUME 138

Tu me scrutes, Seigneur, et tu sais !
Tu sais quand je m'assois, quand je me lève ;
de très loin, tu pénètres mes pensées.

Que je marche ou me repose, tu le vois,
tous mes chemins te sont familiers.
Avant qu'un mot ne parvienne à mes lèvres,
déjà, Seigneur, tu le sais.

Tu me devances et me poursuis,
tu m'enserres,
tu as mis la main sur moi.
Savoir prodigieux qui me dépasse,
hauteur que je ne puis atteindre !

Où donc aller, loin de ton souffle ?
Où m'enfuir, loin de ta face ?
Je gravis les cieux : tu es là ;
je descends chez les morts : te voici.

Je prends les ailes de l'aurore
et me pose au-delà des mers :
même là, ta main me conduit,
ta main droite me saisit.

J'avais dit : « Les ténèbres m'écrasent ! »
mais la nuit devient lumière autour de moi.
Même la ténèbre pour toi n'est pas ténèbre,
et la nuit comme le jour est lumière !

C'est toi qui as créé mes reins,
qui m'as tissé dans le sein de ma mère.
Je reconnais devant toi le prodige,
l'être étonnant que je suis :
étonnantes sont tes œuvres,
toute mon âme le sait.

Mes os n'étaient pas cachés pour toi
quand j'étais façonné dans le secret,
modelé aux entrailles de la terre.

J'étais encore inachevé, tu me voyais ;
sur ton livre, tous mes jours étaient inscrits,
recensés avant qu'un seul ne soit !

Que tes pensées sont pour moi difficiles,
Dieu, que leur somme est imposante !
Je les compte : plus nombreuses que le sable !
Je m'éveille : je suis encore avec toi.

Scrute-moi, mon Dieu, tu sauras ma pensée ;
éprouve-moi, tu connaîtras mon cœur.
Vois si je prends le chemin des idoles,
et conduis-moi sur le chemin d'éternité.

Les malheurs s'accumulent, regarde les souffrances de Jésus. Il a tout remis à son Père, et il chante sa puissance d'amour qui est plus forte que le mal.

PSAUME 21

Mon Dieu, mon Dieu,
pourquoi m'as-tu abandonné ?
Le salut est loin de moi,
loin des mots que je rugis.

Mon Dieu, j'appelle tout le jour,
et tu ne réponds pas ;
même la nuit, je n'ai pas de repos.

Toi, pourtant, tu es saint,
toi qui habites les hymnes d'Israël !
C'est en toi que nos pères espéraient,
ils espéraient et tu les délivrais.
Quand ils criaient vers toi, ils échappaient ;
en toi ils espéraient et n'étaient pas déçus.

Et moi, je suis un ver, pas un homme,
raillé par les gens, rejeté par le peuple.

Tous ceux qui me voient me bafouent,
ils ricanent et hochent la tête :
« Il comptait sur le Seigneur : qu'il le délivre !
Qu'il le sauve, puisqu'il est son ami ! »

C'est toi qui m'as tiré du ventre de ma mère,
qui m'as mis en sûreté entre ses bras.
À toi je fus confié dès ma naissance ;
dès le ventre de ma mère, tu es mon Dieu.

Ne sois pas loin : l'angoisse est proche,
je n'ai personne pour m'aider.
Des fauves nombreux me cernent,
des taureaux de Basan m'encerclent.
Des lions qui déchirent et rugissent
ouvrent leur gueule contre moi.

Je suis comme l'eau qui se répand,
tous mes membres se disloquent.
Mon cœur est comme la cire,
il fond au milieu de mes entrailles.
Ma vigueur a séché comme l'argile,
ma langue colle à mon palais.
Tu me mènes à la poussière de la mort.

Oui, des chiens me cernent,
une bande de vauriens m'entoure.
Ils me percent les mains et les pieds ;
je peux compter tous mes os.

Ces gens me voient, ils me regardent.
Ils partagent entre eux mes habits
et tirent au sort mon vêtement.

Mais toi, Seigneur, ne sois pas loin :
ô ma force, viens vite à mon aide !
Préserve ma vie de l'épée,
arrache-moi aux griffes du chien ;
sauve-moi de la gueule du lion
et de la corne des buffles.

Tu m'as répondu !
Et je proclame ton nom devant mes frères,
je te loue en pleine assemblée.

Vous qui le craignez, louez le Seigneur,
glorifiez-le, vous tous, descendants de Jacob,
vous tous, redoutez-le, descendants d'Israël.
Car il n'a pas rejeté,
il n'a pas réprouvé le malheureux

dans sa misère ;
il ne s'est pas voilé la face devant lui,
mais il entend sa plainte.

Tu seras ma louange
dans la grande assemblée ;
devant ceux qui te craignent,
je tiendrai mes promesses.

Les pauvres mangeront : ils seront rassasiés ;
ils loueront le Seigneur,
ceux qui le cherchent :
« À vous, toujours, la vie et la joie ! »

La terre entière se souviendra
et reviendra vers le Seigneur,
chaque famille de nations
se prosternera devant lui ;
« Oui, au Seigneur la royauté,
le pouvoir sur les nations ! »

Tous ceux qui festoyaient s'inclinent ;
promis à la mort, ils plient en sa présence.
Et moi, je vis pour lui :
ma descendance le servira ;

on annoncera le Seigneur
aux générations à venir.
On proclamera sa justice au peuple
qui va naître : Voilà son œuvre !

Une épreuve imprévue t'assaille, tu as du mal à l'accepter, fais tienne cette prière :

PSAUME 85

Écoute, Seigneur, réponds-moi,
car je suis pauvre et malheureux.
Veille sur moi qui suis fidèle, ô mon Dieu,
sauve ton serviteur qui s'appuie sur toi.

Prends pitié de moi, Seigneur,
toi que j'appelle chaque jour.
Seigneur, réjouis ton serviteur :
vers toi, j'élève mon âme !

Toi qui es bon et qui pardonnes,
plein d'amour pour tous ceux qui t'appellent,
écoute ma prière, Seigneur,
entends ma voix qui te supplie.

Je t'appelle au jour de ma détresse,
et toi, Seigneur, tu me réponds.
Aucun parmi les dieux n'est comme toi,
et rien n'égale tes œuvres.

Toutes les nations, que tu as faites,
viendront se prosterner devant toi
et rendre gloire à ton nom, Seigneur,
car tu es grand et tu fais des merveilles,
toi, Dieu, le seul.

Montre-moi ton chemin, Seigneur,
que je marche suivant ta vérité ;
unifie mon cœur pour qu'il craigne ton nom.

Je te rends grâce de tout mon cœur,
Seigneur mon Dieu,
toujours, je rendrai gloire à ton nom ;
il est grand, ton amour pour moi :
tu m'as tiré de l'abîme des morts.

Mon Dieu,
des orgueilleux se lèvent contre moi,
des puissants se sont ligués pour me perdre :
ils n'ont pas souci de toi.

Toi, Seigneur, Dieu de tendresse et de pitié,
lent à la colère,
plein d'amour et de vérité !

Regarde vers moi,
prends pitié de moi.

Donne à ton serviteur ta force,
et sauve le fils de ta servante.

Accomplis un signe en ma faveur ;
alors mes ennemis, humiliés,
verront que toi, Seigneur,
tu m'aides et me consoles.

L'épreuve est passée, n'oublie pas de dire merci à Dieu.

PSAUME 29

Je t'exalte, Seigneur : tu m'as relevé,
tu m'épargnes les rires de l'ennemi.

Quand j'ai crié vers toi, Seigneur,
mon Dieu, tu m'as guéri ;
Seigneur, tu m'as fait remonter de l'abîme
et revivre quand je descendais à la fosse.

Fêtez le Seigneur, vous, ses fidèles,
rendez grâce en rappelant son nom très saint.

Sa colère ne dure qu'un instant,
sa bonté, toute la vie ;
avec le soir, viennent les larmes,
mais au matin, les cris de joie.

Dans mon bonheur, je disais :
Rien, jamais, ne m'ébranlera !

Dans ta bonté, Seigneur, tu m'avais fortifié
sur ma puissante montagne ;
pourtant, tu m'as caché ta face
et je fus épouvanté.

Et j'ai crié vers toi, Seigneur,
j'ai supplié mon Dieu :

« À quoi te servirait mon sang
si je descendais dans la tombe ?
La poussière peut-elle te rendre grâce
et proclamer ta fidélité ?

Écoute, Seigneur, pitié pour moi !
Seigneur, viens à mon aide ! »

Tu as changé mon deuil en une danse,
mes habits funèbres en parure de joie.

Que mon cœur ne se taise pas,
qu'il soit en fête pour toi,
et que sans fin, Seigneur, mon Dieu,
je te rende grâce !

Ton avenir est incertain. Cependant, il sera
beau si tu mets toute ta confiance en Dieu.

PSAUME 24

Vers toi, Seigneur, j'élève mon âme,
vers toi, mon Dieu.

Je m'appuie sur toi : épargne-moi la honte ;
ne laisse pas triompher mon ennemi.
Pour qui espère en toi, pas de honte,
mais honte et déception pour qui trahit.

Seigneur, enseigne-moi tes voies,
fais-moi connaître ta route.
Dirige-moi par ta vérité, enseigne-moi,
car tu es le Dieu qui me sauve.

C'est toi que j'espère tout le jour
en raison de ta bonté, Seigneur.
Rappelle-toi, Seigneur, ta tendresse,
ton amour qui est de toujours.

Oublie les révoltes,
les péchés de ma jeunesse ;
dans ton amour, ne m'oublie pas.

Il est droit, il est bon, le Seigneur,
lui qui montre aux pécheurs le chemin.
Sa justice dirige les humbles,
il enseigne aux humbles son chemin.

Les voies du Seigneur sont amour et vérité
pour qui veille à son alliance et à ses lois.
À cause de ton nom, Seigneur,
pardonne ma faute : elle est grande.

Est-il un homme qui craigne le Seigneur ?
Dieu lui montre le chemin qu'il doit prendre.
Son âme habitera le bonheur,
ses descendants posséderont la terre.
Le secret du Seigneur est pour ceux qui le
craignent ;
à ceux-là, il fait connaître son alliance.

J'ai les yeux tournés vers le Seigneur :
il tirera mes pieds du filet.
Regarde, et prends pitié de moi,
de moi qui suis seul et misérable.

L'angoisse grandit dans mon cœur :
tire-moi de ma détresse.
Vois ma misère et ma peine,
enlève tous mes péchés.

Vois mes ennemis si nombreux,
la haine violente qu'ils me portent.
Garde mon âme, délivre-moi ;
je m'abrite en toi : épargne-moi la honte.
Droiture et perfection
veillent sur moi,
sur moi qui t'espère !

Libère Israël, ô mon Dieu,
de toutes ses angoisses !

Sors de l'immédiateté dans laquelle tu vis
et aies le courage de penser au dernier soir
de ta vie. Confie-le déjà au Seigneur.

PSAUME 70

En toi, Seigneur, j'ai mon refuge :
garde-moi d'être humilié pour toujours.
Dans ta justice, défends-moi, libère-moi,
tends l'oreille vers moi, et sauve-moi.

Sois le rocher qui m'accueille,
toujours accessible ;
tu as résolu de me sauver :
ma forteresse et mon roc, c'est toi !

Mon Dieu, libère-moi des mains de l'impie,
des prises du fourbe et du violent.
Seigneur mon Dieu, tu es mon espérance,
mon appui dès ma jeunesse.

Toi, mon soutien dès avant ma naissance,
tu m'as choisi dès le ventre de ma mère ;
tu seras ma louange toujours !

Pour beaucoup, je fus comme un prodige ;
tu as été mon secours et ma force.
Je n'avais que ta louange à la bouche,
tout le jour ta splendeur.

Ne me rejette pas maintenant que j'ai vieilli ;
alors que décline ma vigueur,
ne m'abandonne pas.

Mes ennemis parlent contre moi,
ils me surveillent et se concertent.
Ils disent : « Dieu l'abandonne !
Traquez-le, empoignez-le,
il n'a pas de défenseur ! »

Dieu, ne sois pas loin de moi ;
mon Dieu, viens vite à mon secours !
Qu'ils soient humiliés, anéantis,
ceux qui se dressent contre moi ;
qu'ils soient couverts de honte et d'infamie,
ceux qui veulent mon malheur !

La louange à Marie

Tu as peut-être l'habitude de prier Marie, ou peut-être ne la connais-tu pas.

Ces prières, nées de la foi de tous ceux qui nous ont précédés, t'aideront à mieux connaître Marie, à l'aimer davantage, et à avoir recours à elle. Elle t'indiquera le chemin. Elle est celle qui nous enseigne à demeurer en Lui, avec Lui, à ne vivre que pour Lui, pour annoncer au monde l'Amour infini de Dieu, Père, Fils et Saint-Esprit.

En égrenant le chapelet, laisse-toi imprégner par les mystères de la vie de Jésus contemplé par l'intercession de Marie.

Mystères Joyeux

L'Annonciation
« Je suis la servante du Seigneur, qu'il m'advienne selon ta parole. » (Lc 1, 38)

La Visitation
« Bénie es-tu entre les femmes, et béni le fruit de ton sein ! » (Lc 1, 42)

La Nativité
« Et ceci vous servira de signe : vous trouverez un nouveau-né enveloppé de langes et couché dans une crèche. » (Lc 2, 12)

La Présentation de Jésus au temple
« Et lorsque furent accomplis les jours pour leur purification, selon la loi de Moïse, ils

l'emmenèrent à Jérusalem pour le présenter au Seigneur. » (Lc 2, 22)

Le Recouvrement de Jésus au temple

« Pourquoi me cherchiez-vous ? Ne saviez-vous pas que je dois être dans la maison de mon Père ? » (Lc 2, 49)

Marie, Mère de Dieu, que le mystère de l'Incarnation de Jésus, ton Fils, soit présent au cœur de notre vie. Que nous y portions toute notre attention et notre espérance. Et que, nous laissant enseigner par lui, le don de l'Amour de Dieu rayonne en nous et autour de nous.

Mystères Douloureux

L'Agonie

« Fléchissant les genoux, il priait en disant : Père, si tu veux, éloigne de moi cette coupe ! Cependant, que ce ne soit pas ma volonté, mais la tienne qui se fasse ! » (Lc 22, 42)

La Flagellation

« Pilate prit alors Jésus et le fit flageller. »
(Jn 19, 1)

Le Couronnement d'épines

« Les soldats, tressant une couronne avec des épines, la lui posèrent sur la tête, et ils le revêtirent d'un manteau de pourpre. »
(Jn 19, 2)

La Montée au Calvaire

« Ils le mènent dehors afin de le crucifier. »
(Mc 15, 20)

La Mort de Jésus

« Jésus, jetant un grand cri, expira. »
(Mc 15,37)

Marie, Mère de Dieu, fais-nous entrer dans le mystère de la Passion glorieuse de Jésus, ton Fils. Qu'elle transparaisse dans notre vie, et nous rende semblable au Serviteur.

Mystères Glorieux

La Résurrection

« Venez voir le lieu où il gisait, et vite allez dire à ses disciples ; Il est ressuscité d'entre les morts. » (Mt 27, 6)

L'Ascension

« À ces mots, sous leurs regards, il s'éleva et une nuée le déroba à leurs yeux. » (Ac 1, 9)

La Pentecôte

« Ils virent apparaître des langues qu'on eût dites de feu ; elles se partageaient, et il s'en posa une sur chacun d'eux. » (Ac 2, 3)

L'Assomption

Marie a été élevée au ciel. Réjouissons-nous car elle règne à jamais avec le Christ.

Le Couronnement de Marie

« Un signe grandiose apparut au ciel : une Femme ! Le soleil l'enveloppe, la lune est sous ses pieds et douze étoiles couronnent sa tête. » (Ap 12, 1)

Marie, Mère de Dieu, donne-nous de croire que la mort et la résurrection de Jésus, ton Fils, sont agissantes en nous ; de croire que la puissance de Dieu veut se manifester aujourd'hui dans notre corps et dans notre cœur, dans ceux de tous nos frères, comme elle le sera en plénitude à la fin des temps quand le Christ remettra tout à son Père.

L'ANGELUS

- L'ange du Seigneur annonça à Marie qu'elle serait la Mère du Sauveur. Et elle conçut du Saint-Esprit.

Je vous salue Marie...

- Je suis la servante du Seigneur. Qu'il me soit fait selon ta Parole.

Je vous salue Marie...

- Et le Verbe s'est fait chair. Et il a habité parmi nous.

Je vous salue Marie...

Priez pour nous Sainte Mère de Dieu,

Afin que nous devenions dignes des promesses de Notre Seigneur Jésus Christ.

Prions : Daigne, Seigneur, répandre ta grâce en nos âmes ; maintenant que nous connaissons par le message de l'ange l'Incarnation de ton Fils bien aimé, conduis-nous, par sa Passion et par sa Croix, jusqu'à la gloire de la Résurrection. Par Jésus le Christ notre Seigneur. Amen.

En temps d'Avent

Sainte Mère de notre Rédempteur,
Porte du ciel toujours ouverte,
Étoile de la mer,
viens au secours du peuple qui tombe,
et qui cherche à se relever.
Tu as enfanté, ô merveille !
celui qui t'a créée,
et tu demeures toujours vierge.
Accueille le salut de l'ange Gabriel
et prends pitié de nous, pécheurs.

*

En temps pascal

Reine du ciel, réjouis-toi, Alleluia,
Car celui qu'il te fut donné de porter,
        Alleluia,
Est ressuscité comme il l'avait dit, Alleluia.
Intercède pour nous, Alleluia, Alleluia.
Reine du Ciel, réjouis-toi, Alleluia.

Salve Regina, Mater misericordiæ,
vita, dulcedo et spes nostra, salve.

Ad te clamamus, exsules, filii Hevæ.
Ad te suspiramus, gementes et flentes,
in hac lacrimarum valle.

Eia ergo, advocata nostra,
illos tuos misericordes oculos
ad nos converte.

Et Jesum, benedictum fructum ventris tui
nobis post hoc exsilium ostende.

O clemens, o pia, o dulcis Virgo Maria.

*

Sous ta miséricorde,
nous nous réfugions,
ô Mère de Dieu,
ne méprise pas nos supplications
dans le besoin,
mais libère-nous du danger.
Seule pure, seule bénie.

Souvenez-vous,
ô très miséricordieuse Vierge Marie,
qu'on n'a jamais entendu dire qu'aucun de
ceux qui ont eu recours à votre protection,
imploré votre secours
et demandé votre assistance,
ait été abandonné.
Animé d'une pareille confiance,
ô Vierge des vierges, ô ma Mère,
je viens à vous, je cours à vous,
et gémissant sous le poids de mes péchés,
je me prosterne à vos pieds.
O Mère du Verbe incarné,
ne méprisez pas mes prières,
mais écoutez-les favorablement
et daignez les exaucer.

Amen.

Le chemin de Croix

Le vendredi est le jour où l'Église commémore la Passion de Jésus Christ.

Arrête-toi un instant pour contempler le visage du Seigneur, défiguré par nos péchés, défiguré par la souffrance, mais tout lumière parce que remis entre les mains du Père.

« *Il m'a aimé et s'est livré pour moi.* »

Première station :
Jésus est condamné à mort.

« Voici l'homme. » (Jn 19, 5)

Père, comme le Christ se livre aux hommes,
fais que nous nous offrions tout entier au mys-
tère rédempteur de ton Fils.

Deuxième station : Jésus est chargé de sa croix

« Et il sortit portant sa croix, et vint au lieu
dit du Crâne, ce qui se dit en hébreu Colgo-
tha. » (Jn 19, 17)

Père, comme le Christ, en portant la croix,
se charge de tous nos péchés, accomplissant
ainsi ta volonté salvifique, donne-nous de
mesurer cette complaisance d'amour infini
qui existe entre toi et le Fils dans l'Esprit
Saint.

***Troisième station : Jésus tombe pour la pre-
mière fois.***

Jésus, épuisé par son agonie, sa flagellation,
toutes les souffrances de la nuit et de la mati-
née, tombe sous le poids de la croix.

*Père, que Jésus ne nous soit pas un scan-
dale, mais que nous découvrions sa miséricorde infinie qui veut nous unir à lui dans
l'Esprit.*

Quatrième station : Jésus rencontre sa mère.

Le regard de Jésus voilé de sang aperçoit sa
Mère, Marie, lorsqu'il se relève de sa chute.
Elle est là.

*Père, établis-nous dans la communion
d'amour qui existe entre le Christ et sa Mère.*

***Cinquième station : Simon de Cyrène aide
Jésus à porter sa croix.***

« Quand ils l'emmenèrent, ils mirent la main
sur un certain Simon de Cyrène qui revenait

des champs, et ils le chargèrent de la croix pour la porter derrière Jésus. » (Lc 23, 26)

Père, donne-nous de découvrir à quel point nous sommes pris dans la prière du Christ.

Sixième station : Une sainte femme essuie la face de Jésus.

« Sans beauté, ni éclat (nous l'avons vu) et sans aimable apparence, objet de mépris et rebut de l'humanité, homme de douleurs et connu de la souffrance, comme ceux devant qui on se voile la face, il était méprisé et déconsidéré. » (Is 53, 3)

Père, fais-nous découvrir la grâce de la Passion bienheureuse de Jésus. En dévoilant notre péché, il nous fait rencontrer son Visage empreint de miséricorde.

Septième station : Jésus tombe pour la deuxième fois.

« Or c'étaient nos souffrances qu'il supportait et nos douleurs dont il était accablé. » (Is 53, 4)

Père, change notre cœur en un cœur que tu aimes, profondément transparent à l'Amour du Christ et de nos frères.

Huitième station : Jésus interpelle les filles de Jérusalem.

« Le peuple en grande foule le suivait, ainsi que des femmes qui se frappaient la poitrine et se lamentaient sur lui. Mais se retournant vers elles, Jésus dit : Filles de Jérusalem, ne pleurez pas sur moi ! Pleurez plutôt sur vous mêmes et sur vos enfants ! » (Lc 23, 27)

Père, ouvre notre cœur, fais-nous découvrir notre péché et transforme notre être par ta grâce.

Neuvième station : Jésus tombe pour la troisième fois.

« Il a été transpercé à cause de nos péchés, écrasé à cause de nos crimes. Le Seigneur a fait retomber sur lui les crimes de nous tous. » (Is 53, 5-6)

Père, engage-nous dans le sacrifice de la croix, que ta puissance se manifeste en notre être pécheur, grâcié.

Dixième station : Jésus est dépouillé de ses vêtements.

« ...ils prirent ses vêtements et firent quatre parts, une part pour chaque soldat, et la tunique... afin que l'Écriture fût accomplie. » (Jn 19, 23-24)

Père, fais-nous comprendre que, dans la prière du Christ, son sacerdoce nous donne tout dans l'Esprit Saint.

Onzième station : Jésus est crucifié.

« Lorsqu'ils furent arrivés au lieu appelé Crâne, ils l'y crucifièrent ainsi que les malfaiteurs, l'un à droite et l'autre à gauche. Et Jésus disait : Père, pardonne-leur. ils ne savent pas ce qu'ils font. » (Lc 23, 33-34)

Père, que le pardon du Christ nous habite.

Douzième station : Jésus meurt sur la Croix.

« ...et jetant un grand cri, Jésus dit : Père, en tes mains je remets mon esprit ! Ayant dit cela, il expira. » (Lc 19, 23-46)

Père, nous nous en remettons à toi, transforme-nous en ton Fils, dans ta grâce.

Treizième station : Jésus est descendu de la Croix.

« Joseph d'Arimathie prit le corps, le roula dans un linceul propre. » (Mt 27, 59)

Père, donne-nous de nous conformer à ton Fils et de toujours vouloir ce que tu veux.

Quatorzième station : Jésus est déposé au tombeau.

« Joseph d'Arimathie mit le corps dans le tombeau neuf qu'il s'était fait tailler dans le roc ; puis il roula une grande pierre à l'entrée du tombeau et s'en alla. » (Mt 27, 60)

Père, donne-nous de regarder Marie, debout au pied de la croix de son Fils, qui nous montre le chemin pour entrer dans la Passion et recevoir toute grâce de la croix bénie.

« Le Christ est mort une fois pour les péchés, juste pour des injustes, afin de nous mener à Dieu. Mis à mort selon la chair, il a été vivifié selon l'Esprit. » (1 P 3, 18)

Jésus est ressuscité

« Dieu a ressuscité le Christ,
nous en sommes témoins. »
(Ac 3, 15)

La résurrection du Christ est-elle présente
en ta vie ? Crois-tu que nous ressusciterons
avec le Christ, et que nous verrons Dieu face
à face ?

JEAN 20, 11-18

« Marie se tenait près du tombeau, au-
dehors, tout en pleurs. Or, tout en pleurant,
elle se pencha vers l'intérieur du tombeau et
elle voit deux anges, en vêtements blancs,
assis là où avait reposé le corps de Jésus, l'un
à la tête et l'autre aux pieds. Ceux-ci lui
disent : "Femme, pourquoi pleures-tu ?" Elle
leur dit : "Parce qu'on a enlevé mon Seigneur,
et je ne sais pas où on l'a mis". Ayant dit cela,
elle se retourna, et elle voit Jésus qui se tenait
là, mais elle ne savait pas que c'était Jésus.
Jésus lui dit : "Femme, pourquoi pleures-tu ?
Qui cherches-tu ?" Le prenant pour le jardi-

nier, elle lui dit : "Seigneur, si c'est toi qui l'as emporté, dis-moi où tu l'as mis, et je l'enlèverai" .Jésus lui dit : "Marie !" Se retournant, elle lui dit en hébreu : "Rabbouni !" - ce qui veut dire : "Maître". Jésus lui dit : "Ne me touche pas, car je ne suis pas encore monté vers le Père. Mais va trouver mes frères et dis leur : Je monte vers mon Père et votre Père, vers mon Dieu et votre Dieu". Marie de Magdala vient annoncer aux disciples qu'elle a vu le Seigneur et qu'il lui a dit cela. »

*

1 Jean 3, 2

« Bien-aimés, dès maintenant, nous sommes enfants de Dieu, et ce que nous serons n'a pas encore été manifesté. Nous savons que lors de cette manifestation nous lui serons semblables, parce que nous le verrons tel qu'il est. »

Le Sacrement du Pardon

C'est d'abord un acte de Dieu qui a toujours l'initiative de l'Amour, qui met en notre cœur le désir du pardon, de conversion.

C'est un acte de l'Église qui a la mission de nous aider à rencontrer le Père des miséricordes : c'est pourquoi un prêtre, à la suite du Christ, est présent pour donner le pardon de Dieu.

C'est un acte personnel du chrétien qui s'engage dans la Foi, l'Espérance et l'Amour : il avoue son péché, il regrette le mal fait, il décide de se convertir avec la grâce de Dieu.

COMMENT TE CONFESSER

Avec l'aide de l'Esprit Saint et à la Lumière des Béatitudes, réfléchis pour connaître ton péché.

« Le commencement des œuvres bonnes, c'est la confession des œuvres mauvaises. Tu fais la Vérité et tu viens à la lumière. » (St Augustin)

« Comme un horloger avec ses lunettes distingue les plus petits rouages d'une montre, avec les lumières du Saint-Esprit, nous voyons tout en grand : le bien et le mal... » (St Curé d'Ars)

« Heureux les Miséricordieux, ils obtiendront miséricorde »

Nous avons une conversion à faire et cette conversion, les Béatitudes peuvent la faire en nous. C'est une grâce infiniment divine, infiniment libre, la source de notre Salut et de celui de nos frères. Le don du Seigneur qui dépasse tout est la Miséricorde que nous avons à découvrir. Comment ? En renonçant à l'impiété et en vivant dans la piété. *

**« Heureux les pauvres en esprit,
car le Royaume des cieux est à eux »**

Le désir de puissance tue l'esprit des Béatitudes. Convertissons notre cœur. Il s'agit de dépasser le regard que nous avons sur nous-mêmes pour apprendre à se regarder comme le plus petit, comme le plus pauvre d'entre les pauvres. *

Que cette prière jaillisse de ton cœur :

« Seigneur, donne-moi d'entrer dans ton mystère de pauvreté et de me laisser dépouiller par toi. » *

**« Heureux ceux qui pleurent,
ils seront consolés »**

Devant le péché du monde, devant le péché de l'homme pris dans l'embrasement d'amour du Christ pour son Père, pleurons-nous des larmes de sang ? La Croix doit nous prendre aux entrailles, nous transformer et faire de nous des êtres nouveaux. La découverte du péché du monde nous appelle à être compatissants envers les autres dans un mutuel effort de charité. *

**« Heureux ceux qui font la paix,
ils seront appelés fils de Dieu. »**

Faire la paix, c'est être totalement réconcilié avec Dieu, avec nos frères et avec tous les hommes pour que transparaisse en nous la lumière de Dieu qui nous fait fils. Faire la paix, c'est marcher dans la lumière. *

Demande-le au Seigneur :

« Seigneur, fais-moi découvrir ce qu'est la paix. Ta paix, Seigneur, est à l'inverse de la peur ; relève-moi de ma peur. » *

**« Heureux les cœurs purs,
car ils verront Dieu »**

La pureté du cœur mène à la communion dans l'Amour. Il s'agit donc d'avoir un cœur *de plus en plus pur. Mais comment ? En accueillant la Parole de Dieu dans l'Esprit Saint.*

« Seigneur, purifie mon cœur de tout péché pour tout voir dans ta lumière. » *

« Heureux les affamés et assoiffés de la justice, ils seront rassasiés »

Avoir soif de la justice, c'est participer à la Sainteté de Dieu. As-tu soif du salut du monde qui demande le don total de ta vie au Seigneur ? *

« Heureux les doux, car ils posséderont la terre »

Ce qui fonde cette béatitude, c'est le visage incomparable de celui qui est Dieu et qui montre à travers son humanité la douceur dont il veut nous envelopper.

À nous d'avoir cette réalité de douceur, de bienveillance avec le sourire de l'amour. *

Demande-le au Seigneur :
   « Seigneur, apprends-moi à être persévérant dans l'amour. Rends-moi fort de ta douceur ». *

* Père M.J. Le Guillou

*Ton **examen de conscience** achevé, va trouver le prêtre. À travers lui, c'est le Christ qui t'accueille et te pardonne. Adresses-toi à lui simplement.*

Présente-toi en disant :
   « Bénissez-moi, mon Père, parce que j'ai péché ».

Tu rappelles depuis combien de temps tu ne t'es pas confessé ou si c'est la première fois.

*Tu **avoues** tes péchés :*
« Je demande pardon au Seigneur pour... »
(tu peux demander au prêtre de t'aider)

Pour t'aider à t'unir au Christ qui seul peut nous sauver du péché, le prêtre te donne une **pénitence**. Elle peut consister dans une prière, une offrande, une œuvre de miséricorde, un service du prochain, un sacrifice mais surtout dans l'union au Christ à travers sa Croix et sa Résurrection. La pénitence nous configure au Christ qui a pris sur lui tous nos péchés.

*Pour signifier ton désir de conversion moyennant la grâce de Dieu et ton regret des péchés commis, tu dis **l'acte de contrition** :*

« Mon Dieu, j'ai un très grand regret de t'avoir offensé, parce que tu es infiniment bon et souverainement aimable, et que le péché te déplaît.

« Je prends la ferme résolution, avec le secours de ta sainte grâce, de ne plus t'offenser et de faire pénitence ». Amen

*Le prêtre te donne alors **l'absolution** :*

« Que Dieu notre Père vous montre sa miséricorde ; par la mort et la résurrection de son Fils, Il a réconcilié le monde avec Lui et Il a envoyé l'Esprit Saint pour la rémission des péchés : par le ministère de l'Église, qu'Il vous donne le pardon et la paix. Et moi, au nom du Père et du Fils et du Saint-Esprit, je vous pardonne tous vos péchés ».

Tu réponds « Amen ».

Le prêtre te dit :
« Allez dans la paix du Christ ».

*

« Seigneur, apprends-nous à découvrir que notre seule activité est de te laisser sanctifier notre vie : être saint cela n'est pas autre chose. Donne-nous d'être expropriés de nous-mêmes pour entrer dans le mystère de l'Être divin. Tu nous appelles par notre petit nom, tu nous connais et tu viens au cœur de chacune de nos vies. Tu peux bouleverser nos vies mais tu le fais toujours avec tendresse. » (Père M. J. Le Guillou)

La Messe

Qu'est-ce que la messe et comment s'y préparer pour la vivre ?

La messe est appelée l'Eucharistie, l'Action de grâce. Elle est « Source et Sommet de toute la vie Chrétienne », elle contient tout le Trésor spirituel de l'Eglise, c'est-à-dire le Christ lui-même, notre Pâque. (*Catéchisme de l'Église Catholique*)

« Seigneur, Il est grand le Mystère de la Foi ! Nous chantons ce mystère avec joie car il est grand. Que ce soit un cri d'Amour, un cri de reconnaissance, un cri de paix. » (Père M.-J. Le Guillou)

Pour mieux comprendre ce Mystère, entre dans le mouvement de la célébration, apprends à reconnaître ses différents moments, pour goûter combien le Seigneur est bon.

L'ouverture de la Célébration Eucharistique

La célébration commence lorsque les fidèles sont tous réunis dans l'église. Le chant d'ouverture *unit les fidèles en une seule voix dans l'Unité du Corps du Christ et les fait entrer dans le mystère déployé au cours de l'année liturgique. Le chant accompagne la procession des clercs suivis des prêtres ou de l'évêque.*

Chrétiens, baptisés, nous sommes marqués de la croix du Christ. c'est dans la Croix et la Résurrection que le prêtre nous situe :

« Au nom du Père
et du Fils
et du Saint-Esprit »

Arrivé au seuil de la célébration, tu es invité à demander la miséricorde du Seigneur *et à la confesser de tout ton cœur dans la préparation pénitentielle, comptant sur la prière de tous tes frères :*

« Je confesse à Dieu tout-Puissant, je reconnais devant mes frères que j'ai péché en pensée, en parole, par action et par omission. Oui, j'ai vraiment péché, c'est pourquoi je supplie la Vierge Marie, les anges et tous les saints, et vous aussi mes frères, de prier pour moi le Seigneur notre Dieu ».

Tu te situes comme le publicain qui se confie en la Miséricorde infinie du Seigneur en lui disant: « Seigneur, prends pitié du pécheur que je suis ». C'est le sens du Kyrie eleison.

Recevant la Miséricorde, nous nous unissons au chant des anges qui ont salué l'Événement de l'Incarnation du Verbe fait chair, le jour où la Bonté de Dieu s'est manifestée sous nos yeux :

« Gloire à Dieu au plus haut des cieux et Paix sur la terre aux hommes qu'Il aime ».

La liturgie de la Parole

Nous nous asseyons et écoutons *d'un cœur paisible et attentif les* "écrits des prophètes", *c'est-à-dire l'Ancien Testament et « les mémoires des apôtres », c'est-à-dire leurs épîtres et les Évangiles.*

« C'est dans la Communauté chrétienne célébrant la fraction du pain, dans un souvenir tourné vers la fin des temps grâce à la présence de l'Esprit, que la présence du Ressuscité est donnée. L'exégèse de l'Écriture se fait dans la célébration, elle est intérieure à l'Eucharistie. C'est une « eucharistie » de l'intelligence qui nous introduit à une Eucharistie du Corps et du Sang du Christ. Grâce à cette communion, nous recevons la plénitude de l'Esprit et, ainsi, la vie chrétienne va de plénitude en plénitude. » (P. M.-J. Le Guillou)

Par l'homélie le prêtre exhorte à accueillir la Parole et à l'actualiser dans nos vies.

« Tout prêtre qui prêche sait très bien qu'en proclamant la Parole de Dieu, il rend en quelque sorte le Christ présent, le Christ tout lumineux au cœur de l'Église. C'est le Christ lui-même qui annonce sa propre parole, et c'est une eucharistie. » (P. M.-J. Le Guillou).

Après la confession de Foi de l'Église, le Credo, *nous nous unissons pour présenter au Seigneur toutes les intentions de l'Église, du monde, de nos Communautés Chrétiennes.*

La liturgie Eucharistique

C'est le moment de présenter les oblats apportés parfois en procession. Nous confions les dons du Créateur entre les mains du Christ, le pain et le vin deviendront son Corps et son Sang.

Le prêtre invite toute l'assemblée à se lever pour entrer dans la grande prière d'action de grâce de la messe : la prière eucharistique.
Celle-ci est toute entière adressée au Père et commence par la préface *où nous rendons grâce au Père par le Christ dans l'Esprit Saint pour toutes ses œuvres, sa création, la Rédemption et notre filiation adoptive.*
Toute l'assemblée rejoint la louange céleste que les anges et les saints chantent sans cesse au Dieu trois fois Saint.

« Il faudrait, Seigneur, que le « Sanctus » soit pour nous ce qu'il était pour les anciens, c'est-à-dire une affirmation solennelle du mystère de Dieu, du Père innommable, ineffable, l'au-delà de tout. Qu'il soit la reconnaissance que nous ne sommes rien mais que Toi, Seigneur, tu es Saint. » (P. M.-J. Le Guillou)

Le prêtre invoque ensuite la venue de l'Esprit Saint *sur le pain et le vin afin qu'ils deviennent par sa puissance le Corps et le Sang de Jésus Christ et que ceux qui prennent part à l'Eucharistie soient un seul Corps et un seul esprit : c'est l'Épiclèse.*

Dans le récit de l'institution, le prêtre prononce les paroles mêmes du Christ le soir du Jeudi Saint :

« Ceci est mon Corps, ceci est mon sang ».

Le Seigneur est réellement présent sous les espèces du pain et du vin, nous devenons contemporains de son sacrifice sur la Croix et nous acclamons le Seigneur par l'anamnèse qui fait mémoire de la passion, de la résurrection et du retour glorieux du Christ :

« Gloire à toi qui étais mort
Gloire à toi qui es vivant
Notre Sauveur et notre Dieu
Viens, Seigneur Jésus ! »

Unis au Saint Père, aux évêques, nous prions pour les vivants et les morts, demandant que nous soyons réunis tous ensemble pour l'éternité.

La prière s'achève sur la doxologie chantée par le célébrant :

« Par lui, avec lui et en lui
À Toi Dieu le Père tout puissant
dans l'unité du Saint-Esprit
tout honneur et toute gloire
pour les siècles des siècles »

et tous répondent : Amen.

La Communion

Avec le Christ, en lui et par lui, nous prions Dieu en l'appelant « Notre Père », en nous reconnaissant frères les uns les autres.

Puis vient le moment de la fraction du pain, *le Corps du Christ est un pain rompu, partagé entre tous. Il est l'Agneau de Dieu qui porte et enlève le péché du monde.*

Avec tous ceux qui sont baptisés dans la Foi de l'Église catholique, tu peux t'avancer en procession pour recevoir le Corps du Christ.

De ta main gauche tu fais un trône pour recevoir le Roi de Gloire, tu entends le prêtre te dire « Le Corps du Christ *» et tu réponds clairement «* Amen *» puis de ta main droite tu prends le Corps du Christ et tu te communies.*

Revenu à ta place, tu fais silence pour adorer et t'unir au Christ Vivant en toi.

« Fais-nous comprendre, Seigneur, dans l'Eucharistie, que nous sommes invités par le Père, invités par toi, invités par l'Esprit. « Si quelqu'un m'aime, moi et mon Père, nous viendrons en lui, et nous ferons en lui notre demeure. » Fais-nous découvrir qu'il y a une possibilité de communion avec le Père d'une infinie profondeur.

Aimons cette transparence d'amour qu'il y a entre le Père et toi et sachons que pour la faire transparaître en nous, nous devons obéir aux commandements reçus de toi.

Seigneur, nous te rendons grâce d'être créés, enfantés dans l'amour du Père, et gardés dans ta prière. Puissions-nous être glorifiés en toi. » (P. M-.J. Le Guillou)

Le prêtre conclut la célébration par une dernière prière et nous donne la Bénédiction. *Tu la reçois en faisant* le signe de la croix : « Au nom du Père et du Fils et du Saint Esprit ». *Il nous invite à repartir dans la Paix du Christ et nous rendons grâce à Dieu.*

Adresses de nos prieurés

Tu as peut-être des questions à poser, des conseils à demander, des soucis à confier.

Tu peux t'adresser aux Bénédictines du Sacré-Cœur de Montmartre :

Maison-Mère et Noviciat
Prieuré Sainte Scholastique
9, cité du Sacré-Cœur
75018 Paris
Tél. : 01 46 06 90 00

Prieuré Saint Benoît
3, cité du Sacré-Cœur
75018 Paris
Tél. : 01 46 06 14 74

Prieuré Notre-Dame
des Victoires
Place des Petits Pères
75002 Paris
Tél. : 01 42 61 12 83

Prieuré Marie-Joseph
Rue Jean-Marie Vianney
01480 Ars sur Formans
Tél. : 04 74 08 17 11

Prieuré Notre-Dame
de Laghet
06340 La Trinité
Tél. : 04 92 41 50 52

Prieuré de Béthanie
78270 Blaru
Tél. : 01 34 76 21 39

Prieuré du Sacré-Cœur
33, rue du Chevalier de la Barre
75018 Paris
Tél. : 01 53 41 89 09

Prieuré Notre Dame
de Marienthal
67500 Haguenau
Tél. : 03 88 93 90 91

Prieuré Notre Dame
de Montligeon
61400 Mortagne
Tél. : 02 33 85 17 06

Prieuré Sainte Catherine de Sienne
La Sainte Baume
83640 Plan d'Aups
Tél. : 04 42 04 54 84

TABLE DES MATIÈRES

Achevé d'imprimer par Corlet Numérique - 14110 Condé-sur-Noireau
N° d'Imprimeur : 51362 - Dépôt légal : juin 2008 - *Imprimé en France*